Queridos amigos roedores,
bienvenidos al mundo de

Geronimo Stilton

El Eco del Roedor
Redacción

Geronimo Stilton
Ratón intelectual,
director de *El Eco del Roedor*

Tea Stilton
Aventurera y decidida,
enviada especial de *El Eco del Roed*

Trampita Stilton
Pillín y burlón,
primo de Geronimo

Benjamín Stilton
Simpático y afectuoso,
sobrino de Geronimo

Geronimo Stilton

EL FANTASMA DEL METRO

DESTINO

Textos de Geronimo Stilton
Ilustraciones de Blasco Tabasco *y* Guy Codana *revisadas por* Federato Brusco
Diseño gráfico de Merenguita Gingermouse
Cubierta de Larry Keys

Título original: *Il fantasma del metrò*

Destino Infantil & Juvenil
destinojoven@edestino.es
www.destinojoven.com
Editado por Editorial Planeta, S. A.

Primera edición: septiembre de 2004
Décima impresión: junio de 2009
ISBN: 978-84-08-05279-1
Depósito legal: M. 22.845-2009
Fotocomposición: Víctor Igual, S. L.
Impresión y encuadernación: Brosmac, S. L.
Impreso en España - Printed in Spain

PÁNICO EN EL METRO

¡¡¡Socorro!!! ¡Estaba a punto de ser arrollado por el metro! Corría, corría, corría

... me desperté sobresaltado en mi cama.

¡Uff, era sólo un sueño!

En aquel instante SONÓ el teléfono. Alargué la pata hasta el auricular y exclamé, adormilado:

—¡Diga! ¡Aquí Stilton, *Geronimo Stilton*!

Mi hermana Tea chilló, trepanándome el tímpano derecho:

—¡Geronimo! ¿Qué haces, duermes? ¡Sal en seguida hacia la oficina! **¡En se-gui-da!**

Miré el despertador sobre la mesilla de noche y me sobresalté.

¿Quéééé? ¿Las nueve y diez?

¡No había oído la alarma!

¡Qué locura de retraso!

Intenté decirle a Tea que llegaría immediatamente, pero ella ya me había colgado el teléfono en los morros.

CORRÍ a la ducha, me lavé los dientes mientras me anudaba la corbata, engullí un té en el quicio de la puerta de casa y me puse la chaqueta cuando ya estaba en la escalera… me pre-

cipité a la calle como un loco, a riesgo de ser atropellado por un taxi mientras cogía al vuelo el periódico del kiosco.

Apresurado, corrí hacia la plaza de la Piedra que Canta para tomar el metro. ¡Socorrooo! Estaba esperando el metro cuando oí un **tremendo** maullido felino que me sobresaltó.

Todos los roedores nos precipitamos hacia la escalera, chillando aterrorizados:

—¡Un GATO! ¡Hay un GATO en el metro!

Estremecido, me dirigí hacia la salida, pero manteniéndome un poco aparte para no ser atropellado por la muchedumbre asustada. Una anciana señora, que agarraba de la pata a su nietecito, chilló histérica:

—¡*Un felino!* ¡Socorro! ¡Nos devorará de un bocado!

El pobre ratoncito se puso a llorar asustado.

Yo lo cogí del brazo y le murmuré a la abuela para calmarla:

—¡Tranquilícese, señora, todo saldrá bien!

Entonces subí lentamente la escalera, sujetando con una pata al ratoncito y agarrándome al pasamanos con la otra.

—¡Señora, póngase delante de mí, así nadie la empujará! —le aconsejé.

Finalmente, estuvimos fuera.

—¡Mil gracias, es usted todo un *gentilratón*! —exclamó la abuela, agradecida.

Yo le ofrecí un **HELADO** de quesito de bola al ratoncito, le besé la pata a la abuela y murmuré cortésmente:

—¡Es un deber, señora, es un deber!

UN GATO FANTASMA

Miré el reloj: ¡ya eran las diez!

Debía correr inmediatamente a la oficina, a la redacción del diario. Ah, ya, perdonadme, aún no me he presentado: mi nombre es Stil-

... mi hermana Tea, la enviada especial del periódico...

ton, ¡*Geronimo Stilton*! Soy un ratón editor, dirijo *El Eco del Roedor*, el periódico con mayor difusión de la Isla de los Ratones. Aunque, como decía, me **precipité** hacia la oficina. Pero ¿dónde estaba mi hermana Tea, la enviada especial del periódico?

En aquel instante oí el rugido de una moto y se abrió la puerta. Era ella.

Yo protesté:

—¡Tea, te he dicho mil veces que no entres en mi despacho en moto!

Ella sonrió bajo los bigotes y aparcó al lado de mi escritorio. Se quitó el casco y exclamó:

—¡Geronimo! ¡¡¡Geronimo!!! ¡Parece que hay un felino *gigante* en el metro, quizá un *fantasma*! Lo han oído maullar en la parada de la Plaza de la Piedra que Canta. ¡Qué noticia! ¡Tenemos que conseguir **in-me-dia-ta-men-te** una exclusiva antes que *La Gaceta del Ratón*!

Intenté explicar:

—¡Yo también estaba en el metro cuando se ha oído el maullido...

Pero ella ni siquiera me escuchó, corrió hacia el ORDENADOR y empezó a navegar por Internet buscando información.

De repente exclamó, sobresaltándome:

—Ahora mismo te pongo al corriente del caso...

Lunes: se percibe un terrible olor de pipí de GATO en la parada del Arco de la Fondue. *Martes*: en el distribuidor automático de helados de la parada de la Avenida del Queso se descubren las huellas de unos arañazos impresionantes. ¡Parecían hechos por las garras de un GATO gigante! *Miércoles*: se hallan unas huellas gigantes de GATO en las escaleras automáticas de la parada del Paseo del Ratón de Mar. *Jueves*: pasajeros aterrorizados ven la sombra de un GATO en la parada de la Avenida Patasdepato. *Viernes* (es decir, hoy): se oye un tremendo maullido de **GATO** en la parada de la Plaza de la Piedra que Canta. Circulan rumores de que se trata de un **GATO** fantasma, porque a veces las luces del metro se apagan misteriosamente...

Pálido como un queso fresco le dije a Tea:

—Ejem, te pido un favor. No pronuncies la palabra **GATO**: ¡en cuanto la oigo me tiemblan los bigotes y se me eriza el pelaje! Me dan tanto miedo los **GATOS**...

Mi hermana bufó:

—¡Uf, eres el mismo cobardica de siempre!

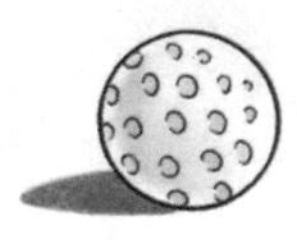

¿QUÉ TIENE QUE VER EL GOLF EN TODO ESTO?

Justo en aquel instante, llegó un mensaje por el fax: era un comunicado de prensa: «El inspector Rakt cierra el metro por motivos de seguridad».

Tea exclamó:

—¡Tengo que saber más inmediatamente!

Empezó a llamar a todos sus *contactos* de alto nivel: de Honorato Ratato, el alcalde de la ciudad de Ratonia, a Ricardito Finito, el jefe de la policía... sin olvidarse del más famoso investigador privado de la ciudad: Rat Ratinson, llamado *Ratatá*.

Sin embargo, colgó el auricular desilusionada:

—¡¡¡Vaya!!! **¡In-cre-í-ble!** ¡O nadie sabe nada o nadie quiere contarme nada del caso del metro!

Era ya tarde avanzada.

Yo me iluminé de repente:

—¡Tengo una idea! ¿Te he dicho que he vuelto a jugar al golf?

Ella protestó:

—¿Qué tiene que ver el golf en todo esto?

Yo le expliqué:

—En el Club de Golf he conocido a Golpelargo Tirocierto, el director del metropolitano. Ahora lo llamo y vemos qué me dice.

Exclamé por el auricular:

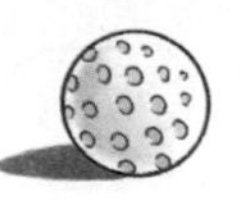

—¡Buenos días, queridísimo amigo! Soy yo, Stilton, Geronimo Stilton. ¿Cómo va el golf? Ah, ¿acabas de ganar una competición? ¡Felicidades! A propósito, ¿podrías darme alguna información referente al misterio del metro? *¡Vaya!* ¿De verdad? A, *ejem*, entiendo...

Colgué, derrotado.

—Tampoco Golpelargo puede decirme nada. Esta investigación es top-secret.

En aquel instante entró en mi despacho mi primo Trampita: sin llamar, como de costumbre. Iba cargado de bolsas y paquetes de la compra.

—¿Ya sabéis la novedad? Voy a abrir una hamburguesería. La llamaré...

PARA ESTÓMAGOS DE HIERRO
BOCADILLOS ROBUSTOS PARA RATONES CON GUSTO

¿CÓMO TE VA, PRIMO?

Chupeteando un chupa-chups al queso, Trampita exclamó:

—¿Cómo te va, primo?

Se metió el chupa-chups en el bolsillo, se apoltronó en el sillón y plantó las patas sobre mi escritorio, hurgándose los dientes con un palillo.

—¿No te gusta sentarte como todo el mundo? —le pregunté fastidiado.

Trampita se sacó el palillo de la boca y empezó a usarlo para limpiarse las uñas. Después, con el meñique se hurgó en una oreja:

—¡Qué susceptibles estamos hoy, Geronimo! —exclamó. Bostezando, se rascó los bigotes—: *¿Me equivoco o hay en el aire una* **gran** *novedad?*

—Trampita —estallé—, estamos ocupados, ¿no lo ves? Estamos trabajando en el caso del fantasma del metro. ¡Queremos una exclusiva!

Él se olió el negocio:

—¿Una exclusiva? Ahora mismo os paso información reservada, es más, reservadísima... imagino... ¡vais a ver!

Agarró el teléfono con la pata pringosa de CHUPA-CHUPS y mientras marcaba el número nos explicó:

—Pepucho Carasepia, el sobrino de la portera del primo del pedicuro del hermano del empleado de la limpieza del metro de Ratonia, es amigo mío. Jugamos al bingo juntos en la *Taberna de las Posaderas*.

Gritó al auricular:

—¿Oiga? ¿Pepucho? ¿Eres tú? ¿Qué tal, cómo te va, socio? Límpiate bien las orejas, necesito información sobre el GATO del metro... Ah, ¿también quieres saber por qué?

Trampita agarró el teléfono...

Curiosón, son chanchullos míos... okey, llámame, estoy en *El Eco del Roedor*. ¿Sabes el número? ¿Sí? Perfecto...

Tres (sólo *tres*) minutos después sonaba el teléfono. Respondió Trampita.

—Bien... ¿De verdad? Pero... ¡Quién lo hubiera dicho! Venga, Pepucho, pero... Ah, bien... Eh, sí... ya, ya, ya... ¡Caramba! ¡Okey, Pepucho, te debo una! A propósito, te espero en **¡EL ESTÓMAGO DE HIERRO!**

Colgó:

—Lo sé todo.

Tea cogió un bloc y exclamó impaciente:

—¿Y bien?

Mi primo soltó una carcajada:

—Calma, primita, calma..., primero hablemos de negocios. ¡Me iría bien una *ayudita* para abrir mi hamburguesería!

INFORMACIÓN SECRETA

Trampita comía satisfecho un caramelo de gorgonzola.

—Aquí va mi propuesta: yo os revelo mi información secreta sobre el GATO del metro. Tú, prima, escribes el artículo, Geronimo lo publica. Y la recaudación de la exclusiva se repartirá de la siguiente manera:

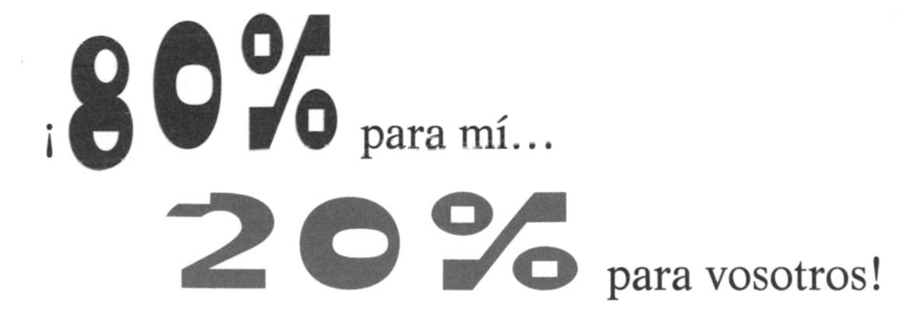

Yo estaba indignado:

—¡Felicidades! ¡Bonita manera de tratar a la familia!

Él fingió ofenderse:

—Ya te he hecho un descuento, ¿sabes? Podría pediros el **85%**.

O incluso el **90%**.

Es más, ahora que lo pienso, hasta el **99%**.

Mejor aún, iré a proponérselo a Sally Ratonen, la directora de *La Gaceta del Ratón*. Apuesto a que pagará lo que le pida por tener alguna información sobre el **GATO** del metro…

Al oír aquella palabra (como siempre) me estremecí.

ERES UN TACAÑO, GERONIMO

—¿Cómo, cómo, cómo? ¿Tú, mi primo, te pasarías a la competencia? ¡Sabes que Sally es mi enemiga número uno!
—protesté indignado.

Él se hizo la víctima:

—¡Tú me obligas! Prácticamente me obligas con tu actitud tacaña que, francamente, me aflige. Pero ya, recuerdo, desde pequeño...

A mí se me subió la mosca al morro.

—¿Ah, sí? ¿De verdad? ¿Soy un tacaño? ¿Sólo porque digo que me estás ofreciendo condiciones inaceptables?

Mi hermana arremetió contra Trampita:

—Ya te daré yo el **99 %**... pero ¡antes te arrancaré los bigotes! ¡Te anudaré la cola! ¡Te morderé las orejas! ¡Así aprenderás a tomarnos el pelo, caraqueso! ¡Además, tu información me importa un pimiento!

En aquel instante entró Pinky Pick*

Me di cuenta de que Pinky ya lo sabía todo.

Me había dejado abierto el interfono...

* Nota: Pinky Pick tiene catorce años, por la mañana va a la escuela, pero por la tarde colabora con *El Eco del Roedor* como reportera.

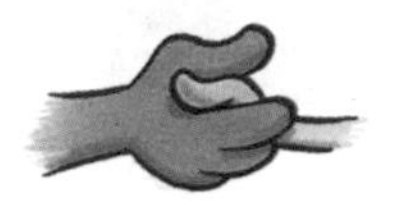

¡CHOCA ESA PATA, SOCIA!

Brincando sobre sus zapatos rosa de plataforma, Pinky exclamó:

—¡Todos quietos!

Mi primo dejó de pelearse con Tea y gritó:

—¿Y tú quién eres?

Pinky anunció solemne:

—Mi nombre es Pick, Pinky Pick. Soy la ayudante del señor Stilton. Y aquí está mi (*nuestra*) propuesta:

1. *Trampita cuenta lo que sabe.*
2. *Yo os explico cómo bajar al metro aunque la policía haya cerrado los accesos.*
3. *Tea organiza una expedición por el metro.*
4. *Geronimo Stilton financia la expedición.*

Finalmente concluyó satisfecha:

—*¡Los cuatro socios (naturalmente) se dividirán los beneficios a partes iguales!*

Trampita se lamentó:

—¿Cómo? ¿Dividirlo a partes iguales? ¿Sólo el **25 %** para el pobre Trampita, que tiene que abrir una hamburguesería?

Pinky rebatió con dureza:

—¡El **25 %**!, ¡lo tomas o lo dejas!

Después Pinky le tendió la patita.

—Así pues, ¿asunto zanjado?

Trampita se la estrechó, y juraría que había una lucecita de admiración en sus ojos:

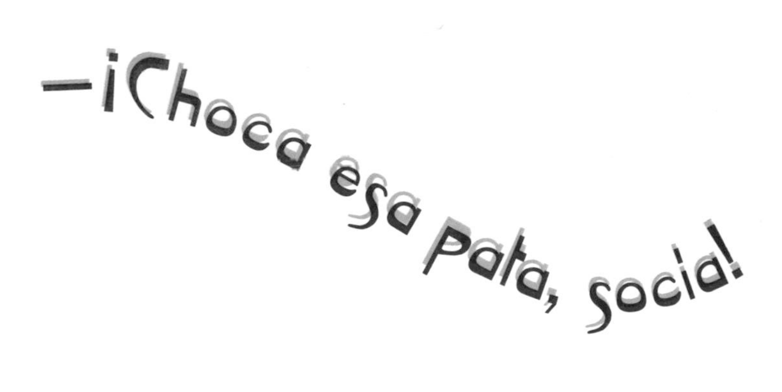

¿UN FELINO DE 18 TONELADAS?

Trampita empezó a contar lo que le había dicho Pepucho Carasepia:

1. Hoy se han vuelto a encontrar nuevos arañazos felinos en el distribuidor automático de helados de la Plaza de la Piedra que Canta.

2. Examinando la profundidad de los arañazos, ¡la policía científica ha calculado que han sido hechos por un felino de 6 metros de altura y 20 de largo y con un peso de al menos 18 toneladas!

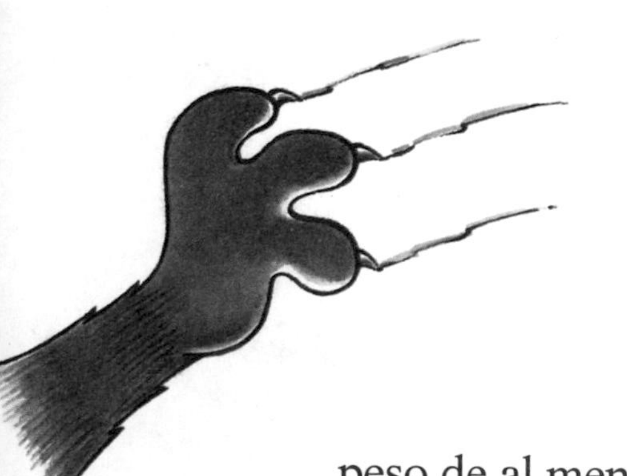

3. En la parada del Arco de la Fondue se han encontrado bolas de pelo y también un pelo de bigote felino (de 80 centímetros de largo).

4. El experto en Felinología del Museo de Ratonia ha concluido que podría tratarse de un ejemplar gigante de *Felis silvestris*, de pelo **GRIS OSCURO** y una cola larga y robustísima.

5. Un psicólogo licenciado en Psicología Felina está planificando una trampa para el **GATO** del metro. ¡Parece (es una noticia reservadísima) que para el anzuelo preparan 400 cajas de pienso Crock Cat!

¡Cuatro pizzas de fondue!

Tea cogió el teléfono y llamó a la tienda de artículos deportivos de la esquina:

—¿Oiga? Tráigame cuatro chándales termoaislantes, cuatro pares de botas con suelas de **goma**, cuatro linternas eléctricas…

Trampita le guiñó un ojo:

—¡Okey, primita! ¡Mientras, yo me ocupo de los comestibles!

Oí como llamaba a la pizzería de enfrente:

—¿Oiga? Quisiera cuatro megapizzas de esas **grandotas** de fondue ultrapicante, para ratones de estómago fuerte, con trocitos de ajo crudo, daditos de cebolla roja, pedacitos de salchichón al curry, un pellizco de azafrán, una pizca de nuez moscada y pimienta de cayena en buena cantidad...

Después, con aire de gastrónomo, exclamó:

—¡En la mía añada unos trocitos de piña acaramelada y un poquitito (bueno, un poco) de nata montada y melaza! No se olvide de poner una guinda (confitada, se entiende).

Entonces chilló por el teléfono, probablemente ensordeciendo al desventurado pizzero:

con trocitos de ajo crudo, daditos de cebolla roja,
pedacitos de salchichón al curry,
un pellizco de azafrán...

—¡Que todo sea abundante, abundante, abundante, que paga mi primo, Geronimo Stilton!

Estaba a punto de colgar pero pareció reflexionar, y luego gritó de nuevo:

—¡Ah, a propósito, la pizza de mi primo hágala muy **PICANTE**, así se le refuerza el estómago!

Yo quería protestar y pedir un plato de arroz hervido (soy de digestión difícil) pero en aquel instante, Tea me miró fijamente y me preguntó:

—¿Tú también vienes, *verdad*, Geronimo?

Yo me callé.

¡No me apetecía en absoluto bajar a los túneles del metro para encontrarme morro con morro con un felino gigante!

Así que intenté escabullirme.

—Ejem, siento como si me estuviese resfriando por momentos. Y, además, con la humedad que hay en los túneles del metro... Sabes que sufro de reumatismo en la cola...

Mi primo Trampita dijo en tono de fingida indiferencia:

—A propósito, Geronimo..., mi amigo Pepucho ha oído que también Sally Ratonen anda tras la pista. No querrás que publique ella la exclusiva, ¿no, primo?

Al pensar en Sally Ratonen se me rizaron los bigotes de rabia y cambié de idea:

—Ejem, me he decidido: yo también voy.

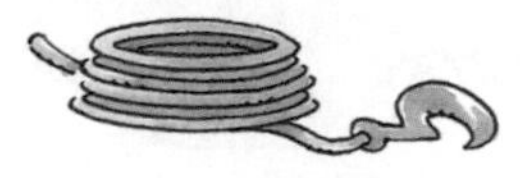

QUIEN NO ARRIESGA NO GANA

Poco después oí sonar el timbre de la puerta: era el repartidor de pizzas.

Trampita devoró a gusto su pizza y también la mía (me bastó probar un pedacito para tener ardor de estómago).

Tea cogió la máquina fotográfica y el bloc de notas...

Trampita por su parte preparó una bolsa repleta de comida: ¡se olía el aroma a distancia!

—**¡Quien NO arriesga NO gana!** —exclamó satisfecho.

Sonó de nuevo el timbre: era el repartidor de la tienda de artículos deportivos. Resignado, me puse un chándal y me teñí el pelaje con maquillaje oscuro. También me calcé las botas impermeables. En la cabeza me puse un casco con linterna incorporada. Sobre el torso llevaba cruzada una cuerda larga con un gancho en su extremo. ME FELICITÉ DE QUE NADIE ME VIERA DISFRAZADO DE AQUEL MODO... ¡soy un ratón intelectual y tengo una reputación que salvaguardar!

Estábamos listos. Lo teníamos todo a punto.

A las ocho, veloces como rayos, nos deslizamos fuera de la oficina.

Caía la tarde.

Más que periodistas en busca de una exclusiva, parecíamos ladrones antes de un golpe...

Pinky nos llevó hasta un callejón detrás del

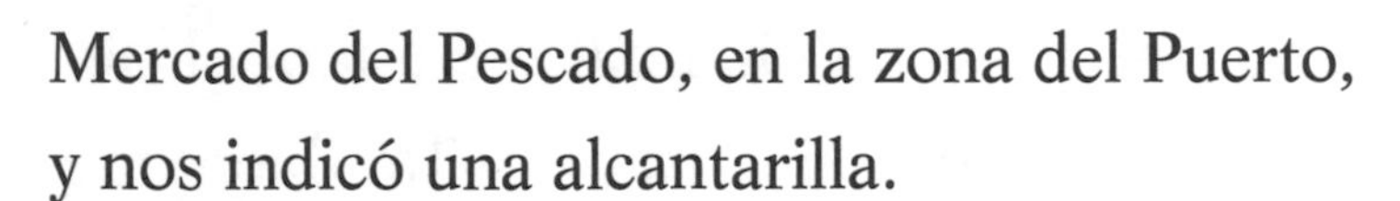

Mercado del Pescado, en la zona del Puerto, y nos indicó una alcantarilla.

—Todas las entradas del metro han sido cerradas por la policía, pero ¡nosotros entraremos por esta alcantarilla!

Entonces nos mostró la fotocopia a color de un plano:

—Por aquí debajo pasa el alcantarillado número 56. Siguiéndolo, al cabo de media hora cruzaremos la línea 7.

Trampita, admirado, exclamó:

—¿Cómo has conseguido este plano?

Pinky sonrió:

—Me le ha fotocopiado mi compañero de pupitre.

Tontolino Tontete… Tontolino es hermano del cuñado del tío de la prima del maestro de

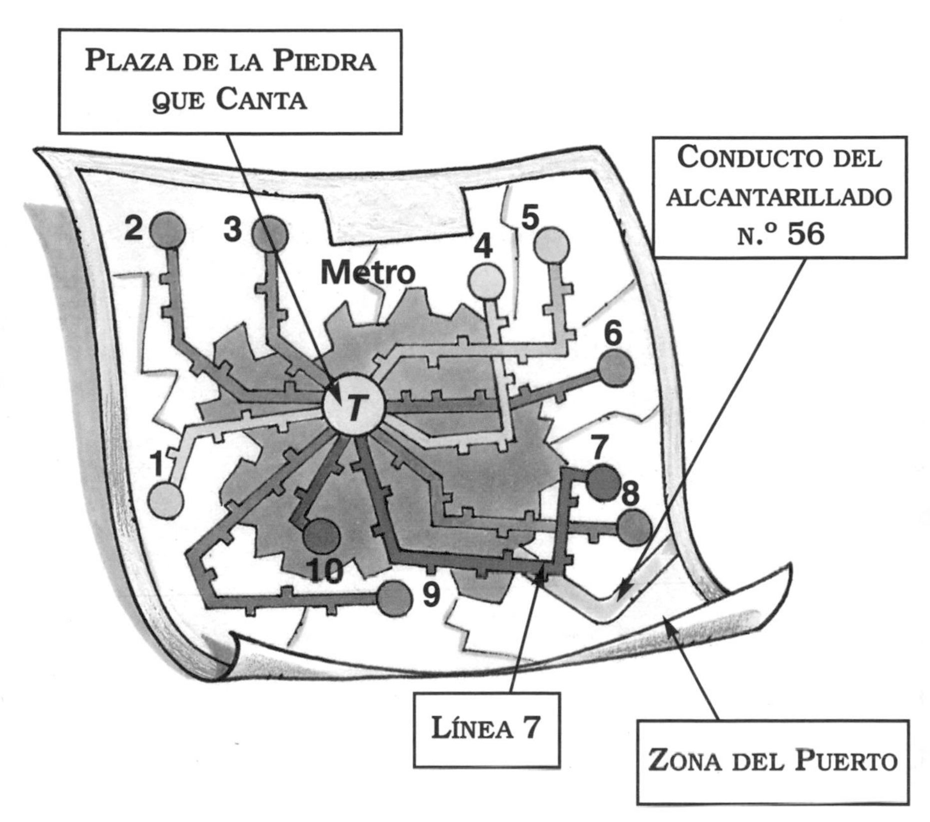

Plano del metro de la ciudad de Ratonia

T: *Plaza de la Piedra que Canta*

Línea 1: ***Calle Mona Ratisa***

Línea 2: ***Arco de la Fondue***

Línea 3: ***Avenida Patasdepato***

Línea 4: ***Paseo Ratontón***

Línea 5: ***Calle Bigotontón***

Línea 6: ***Avenida Quesoseco***

Línea 7: ***Plaza del 1.er Queso***

Línea 8: ***Paseo Ratonmarino***

Línea 9: ***Calle de la Evacuación***

Línea 10: ***Calle de la Escaramuza***

ciencias del nieto del R.A.R. (Responsable de las Alcantarillas de Ratonia). ¡A cambio, he prometido a Tontolino dejarle copiar en el examen de matemáticas del próximo martes!

Yo exclamé:

—¿Alcantarillas? ¡Me niego a bajar a las alcantarillas! ¡Yo soy un ratón respetable!

Trampita sonrió:

—Eso es exactamente MIEDO...

¡M de MENUDO MIEDICA ESTÁS HECHO!

¡I de INCREÍBLE QUE NO TE AVERGÜENCES DE ELLO!

¡E de ESPERO QUE NO TE HAYAS MANCHADO LOS PANTALONES!

¡D de déjate de tonterías y baja con nosotros!

¡O de O BAJAS AHORA MISMO O te bajo tirándote de las orejas!

Después exclamó:

—¡Piensa en Sally! Quizá a estas horas esté ya ahí abajo, y a punto de arrebatarte la exclusiva!

Tea levantó la tapa de la alcantarilla y bajó la primera. La siguió Pinky, después, a regañadientes bajé yo, mientras Trampita insistía en quedarse el último.

—Quiero controlar que el héroe ¡no se largue! ¡… que lo conozco! Ya desde pequeño…

Estaba a punto de darme la vuelta y decirle cuatro cosas pero Tea nos regañó:

GATO GATO GATO GATO...

Abajo, la oscuridad era total.
Bajamos uno detrás de otro por una escalera vertical de hierro cuyos travesaños estaban resbaladizos por la humedad. Por suerte, llevábamos botas con suelas de goma.
¡Qué frío! Se me escapó un estornudo.

Me lamenté:
—¡Ya está! ¡Si lo sabía yo! ¡Ya me he resfriado!
Trampita fingió compadecerme:
—¡Pobrecillo, Geronimillo ha pillado un resfriadillo!

Yo quería levantar el morro para protestar, pero no quería arriesgarme a perder pie y resbalar por la escalera.

Quién sabe cuánta profundidad tenía el túnel. No osaba mirar hacia abajo: ¡sufro de vértigo! Continuamos descendiendo durante un tiempo que me pareció interminable. Finalmente, Tea murmuró:

—¡Ya hemos llegado!

Puse la pata en el suelo con un suspiro de alivio.

Encendimos todas las linternas y avanzamos con cautela a lo largo del subterráneo.

Nos encontrábamos en una estrecha acera, también resbaladiza por la humedad.

A nuestra izquierda corría un canal lleno de un fluido apestoso.

Trampita, señalando un punto a mi espalda, exclamó:

—¡Geronimo, un GATO detrás de ti!

—¿Qué? ¿Dónde? ¡Socorrooo! —chillé.

—¡¡Has picado, has picado!!

—canturreó Trampita, riéndose bajo los bigotes.

Me mordí la cola de rabia. Trampita, mientras tanto, continuaba con sus bromitas.

—¡Aquí huele a GATO muerto!

—¡No digas más esa palabra! —me estremecí.

Él fingió asombrarse.

—Ah, ¿te molesta la palabra GATO? Interesante... ¿Y por qué justo la palabra GATO? Pero ¿sólo la palabra GATO o alguna otra palabra más, distinta de la palabra GATO? Y si

A nuestra izquierda corría un canal...

la repito, ¿qué efecto te provoca? ¿Mejor o peor?

—¡Basta, por favor! —exclamé tapándome las orejas para no oír más aquella maldita palabra. Tea ordenó:

—¡Parad in-me-dia-ta-men-te!

Él se rió burlón:

—Siempre haciéndote defender por las chicas, ¿eh? Si ya desde pequeño... —pero se interrumpió, chillando:

—¡Ayyyyy! ¿Quién me ha pellizcado la cola?

En la oscuridad era imposible descubrir quién había sido, pero yo sospechaba que había sido Pinky. Ah, Pinky es la única que me defiende (bueno, sólo cuando quiere).

Tea concluyó, satisfecha:

—Así estáis los dos en paz. ¡Ahora seguidme!

Tufo a gato

Tea iluminó el plano del subterráneo con la linterna.

—Estamos casi al final del conducto de la alcantarilla número 56. Dentro de poco cruzaremos la línea 7 del metro. Después llegaremos al punto Ⓣ, Plaza de la Piedra que Canta, ¡el sitio de donde salen todas las líneas del metro!

Avanzamos a través del conducto. De repente, resbalé sobre una mancha.

—¿Te has resbalado sobre una meada de GATO, primo? —bromeó Trampita para hacerse el gracioso.

Yo me estremecí. Ah, esa palabra...

Del líquido que fluía por el canal emanaba un nauseabundo tufo a podrido, agravado por las sustancias químicas —lejía, cloro, ácido fénico— añadidas para desinfectar.

Trampita, el muy listillo, exclamó:

—Geronimo, parece tufo a GATO, ¿verdad?

—¡No vuelvas a pronunciar esa palabra, por favor! —le pedí, esforzándome por mantener la calma.

Entonces él empezó a canturrear:

—*Había una vez un* GATOOO...

que a un ratón despistó un buen ratooo...

porque se disfrazó de patooo...

aunque apestaba a pis de GATOOO...

No pude aguantarme más y grité:

Trampita protestó:

—¡Vaya, no sabía que estuviese prohibido cantar! Geronimo, perdona que te pregunte pero... ¿te ha visto ya un médico? ¡Pareces loco de remate!

Yo estaba furioso. Grité:

—¡No necesito ningún médico, me encuentro perfectamente! ¡Ve tú al médico!

Él comentó tranquilo:

—Perdona, pero ¿por qué gritas así? Parece que te hubiera pisado la cola un GATO...

Me esforcé en mantener la calma, no quería darle la satisfacción de verme furioso.

Habíamos llegado casi al final del conducto de la alcantarilla número 56.

Todas las linternas se apagaron a la vez y pude ver dos pérfidos ojos amarillos brillar en la oscuridad.

—¡¡Socorrooo!! ¡El gatooo fantasmaaa!

Tras unos segundos las linternas se encendieron de nuevo como por arte de magia. Solté un suspiro de alivio. Estaba recuperando el aliento cuando Trampita empezó a chillar señalando un punto a mi espalda.

—¡Geronimo! ¡Un GATO detrás de ti!

—¿Eh, dónde? ¡Socorrooo! —chillé aterrorizado.

—¡¡Has picado, has picado!!

—canturreó Trampita, riéndose.

¡Me picaban las patas de las ganas que tenía de arrancarle los bigotes uno a uno!

Pasó una hora. Trampita chilló de nuevo:

—¡Un GATO! ¡Detrás de ti, Geronimo!

Yo protesté:

—¡Basta de bromas!

Pero de todos modos me di la vuelta para asegurarme, y solté un alarido de terror. ¡Detrás de mí se veía la sombra de un GATO gigante, que sacaba las zarpas con aire famélico!

Un gato gigante sacaba las zarpas...

COMO UNA RATA DE ALCANTARILLA

Tal como apareció, la sombra desapareció al instante. Nos refugiamos tras una esquina.
¡Los bigotes me temblaban de miedo!
Tea nos concedió una pausa de media hora. Trampita aprovechó para hurgar en la bolsa de la comida.
Luego exclamó orgulloso:
—¡Para relamerse los bigotes! ¡Todo recetas exclusivas del menda lerenda!

De la bolsa sacó un pastel de algas encurtidas, luego un bote de quesitos en almíbar, otro de gelatina de berenjenas y para acabar una tarta al

requesón, una caja de bombones verdes al pesto fresco y una mousse de chocolate amargo con merengue a la baba de caracol.

Luego destapó un termo que contenía batido caliente de arenques ahumados: lo paladeó, deleitándose, chasqueando la lengua.

Finalmente, se metió en la boca una goma de mascar con sabor a cebollinos.

—Es para refrescarme el aliento, ¡me lo noto un poco fuerte!

Se frotó satisfecho la panza:

—¡BURP!

Entonces, para hacerse el graciosillo, exclamó:

—Tú y yo nos llevamos como el **GATO** y el ratón... Pero, ya se sabe, **GATO** maullador, poco mordedor... y, en fin, tanto va la **GATA** a la fuente...

Yo me estremecí. No dije nada, pero agarré la tarta de requesón y estaba a punto de estampársela en los morros cuando Tea me detuvo.

—¡No tenemos tiempo para vuestras peleas! Debemos prepararnos para atravesar la cloaca. Mirad aquella galería: allí empieza la línea 7, pero hay que atravesar el canal.

—**¡No, no y no!** ¡En la cloaca no me meto! ¡Para todo hay un límite! —protesté. Tea se me encaró.

—Bien, entonces quédate aquí solo. Nosotros nos vamos.

Corrí tras ella.

—¡Un momento! No me abandonaréis aquí, ¿verdad? ¡Soy tu hermano!

Tea me cortó bruscamente:

—¡No tengo tiempo que perder! Así ¿qué? ¿Vienes con nosotros? ¡Decídete!

—Consternado y abatido, con el

rabo entre las piernas, finalmente me añadí al grupo. ¡No quería quedarme solo en aquel lugar de pesadilla!

Mi hermana Tea lanzó una cuerda y el extremo de metal se enganchó en una escalerilla al otro lado de la cloaca.

Agarrados a la cuerda atravesamos el canal. Por suerte, el conducto de la alcantarilla no era demasiado profundo: el líquido apestoso nos llegaba justo por debajo de los morros.

El fondo, sin embargo, era viscoso y temía resbalar. ¡Qué experiencia tan aterradora! La idea de ahogarme en aquel líquido nauseabundo como una vulgar rata de alcantarilla me parecía un triste fin, BRRR...

Finalmente llegamos al otro lado.

Nos encontrábamos en el túnel de la línea número 7 del metro.

LAS CADENAS DEL GATO FANTASMA

De repente, oímos un ruido de cadenas y un terrible maullido.

¡El GATO fantasma debía de estar cerca, cerquísima!

Mi corazón latía enloquecido.

¿Por qué, por qué, por qué me había dejado convencer para bajar hasta allí?

Tan repentinamente como había empezado, el maullido cesó. Para recuperar los ánimos, Trampita propuso picar algo.

—Os propongo una receta mía exclusiva: un

buen bocadillo de callos... y para acompañarlo... ¡mirad qué maravilla!

Canturreando sacó un tubito, le quitó el tapón y añadió al bocadillo una crema de aspecto asqueroso:

—¡Ajo condensado! ¡Para relamerse los bigotes!

Todos retrocedimos de un brinco.

¡Os doy mi palabra, el tufo de aquel bocadillo de callos era peor que el **HEDOR DE LA CLOACA**!

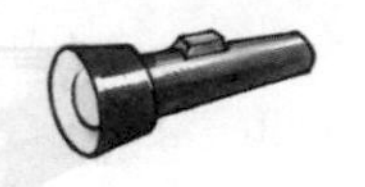

TRAMPA PARA GATOS

Nos encaminamos hacia el punto (T), la parada de la Plaza de la Piedra que Canta. Avanzamos en fila india a lo largo de las vías del tren por el estrecho andén, iluminando las paredes con la luz de nuestras linternas. El profundo silencio era interrumpido sólo por el ruido de las gotas de humedad que caían al suelo: **¡PLIC, PLIC, PLIC!**

Tea nos advirtió:

—¡Permaneced sobre el andén, no bajéis nunca a las vías, es muy peligroso! Por las vías pasa una línea eléctrica que alimenta la máquina tractora del metro. ¡Quien la toca cae fulminado!

Finalmente llegamos a la parada de la Plaza de la Piedra que Canta.

La gran plataforma de cemento (donde los pasajeros suelen esperar la llegada del metro) estaba iluminada por potentes reflectores.

Con un suspiro de alivio nos dirigíamos hacia las luces, cuando oímos unas voces y nos escondimos tras una cabina telefónica, apretujados los unos contra los otros.

Eran el inspector Rakt y su ayudante.

—¡Inspector, no hemos encontrado huellas digitales! ¡Ni de ratones ni de **GATOS**!

—***Hummm...*** —refunfuñó el otro.

INSPECTOR RAKT

El ayudante continuó:

—¡En todo caso, la trampa para GATOS está lista! El experto en Psicología Felina ya ha llegado. Ha maquinado un sistema excepcional, jefe..., se llama el reclamo del pienso.

El inspector Rakt estalló:

—¿Qué? ¿Pienso? ¿Qué pinta aquí el pienso?

El otro prosiguió, orgulloso:

—Ah, jefe, transportar 400 kilos de pienso para GATOS ha costado un enorme esfuerzo. Pero ahora...

—¿Ahora? —tronó el inspector.

—Ahora el pienso ha sido metido en una enorme caja de cartón confeccionada a propósito, de 10 metros de alto por 4 de ancho. La caja es zarandeada por un complejo sistema de mecanismos y poleas. Ningún gato se resiste al ruido del pienso sacudido en su caja. Además, uno de nosotros, el investigador Carapalo, ¡se ha

Ahora el pienso ha sido metido en una enorme caja...

colocado cerca de la caja y agitará a intervalos regulares un cascabel gigante para atraer al GATO! Los gatos adoran los cascabeles (lo dice el psicólogo).

El inspector apenas podía resistirse sin explotar:

—¿Pienso..., poleas..., cascabeles?

El otro roedor prosiguió, orgulloso:

—También hemos instalado un micrófono que transmite una frase de reclamo:

Minino, minino, minino...

Rakt exclamó, con los bigotes rizados por la indignación:

—¿Y esto os parece un método científico?

¿Para esto habéis llamado a un psicólogo?

Después, refunfuñando, se largó.

Lo vi alejarse..., y no pude dejar de fijarme en que el metro de Ratonia estaba de veras en ***pésimas*** condiciones. Los bancos estaban cojos, el suelo manchado, las paredes cubiertas de pintadas.

El metro de Ratonia había sido construido cincuenta años antes. Ahora parecía viejo y ruinoso y necesitaba una reforma a fondo.

El metro de Ratonia estaba en pésimas condiciones…

¡TE ARRANCO LOS BIGOTES!

Estábamos a punto de salir de nuestro escondrijo cuando oímos más voces.

¡Una era femenina y la reconocí de inmediato! Era la directora de *La Gaceta del Ratón*, Sally Ratonen, mi enemiga número uno.

Oí cómo se reía bajo los bigotes:

—Vaya, me tiemblan los bigotes al pensar que le estoy ganando por la mano a *El Eco del Roedor*. ¡Quiero una exclusiva sensacional, *vaya*! ¡Ese bobo de Geronimo Stilton se quedará con un palmo de morros! *¡¡¡Vaya!!!*

¡¡VAYA!!

Yo me sentí hervir de rabia.

Sally iba acompañada de su jefe de redacción, Servilino Siervo. El pobrecito examinaba el terreno aquí y allá con una lupa de aumento, pero no parecía muy convencido.

—¡A ver si te das más prisa, Servilino! *¡¡¡Vaya!!!*

Él murmuró relamiéndose los bigotes:

—Ejem, señora Ratonen, ¿puedo tomar un helado de queso de bola? Hay un distribuidor automático...

Sally chilló:

—¿Helado? *¡¡Vaya!!* ¡Muévete, Servilino! ¡Quiero pruebas! ¡Pruebas! *¡Vaya!*

Justo en aquel instante me vinieron ganas de estornudar:

—*Aaaah... aaaah...*

Rapidísimo, Trampita me tapó el morro con la pata para detener el estornudo.

Sally se paró y exclamó en voz alta:

—¡*Vaya,* juraría que por aquí anda Stilton, Geronimo Stilton! *¡¡¡Vaya que sí!!!*

Servilino dijo en voz baja:

—Pero, señora Ratonen, ¡estamos solos, solísimos!

Ella le tiró de una oreja:

—¡A callar, Siervo! ¡¡¡Y muévete ya, *vaya*!!!

En aquel instante se oyó un horrendo maullido. ¡Era el gato fantasma!

Servilino Siervo se puso pálido como el queso fresco. Sally chilló a pleno pulmón:

—¡Ven aquí si tienes agallas! *¡¡¡Vaya que sí!!!* ¡Muestra tu feo morro de felino! ¡Ven aquí, que

¡Muévete, Siervo!

te voy a morder la cola, te voy a arrancar los bigotes uno a uno y te voy a despellejar! *¡¡¡Vaya que sí!!! ¡¡¡Vaya que sí!!! ¡¡¡Vaya que sí!!!*

Casi en respuesta, todos los objetos metálicos,

COMO SI HUBIESEN ENLOQUECIDO, SE DIRIGIERON

HACIA LA ENTRADA DE LA GALERÍA 1,

DE DONDE PROVENÍA EL MAULLIDO.

Las luces del metro se apagaron de repente.

Sally chilló por la sorpresa:

—*¡¡¡Vaya!!!*

Servilino Siervo huyó aterrorizado en la oscuridad.

Sally lo siguió gritando:

—¡Vuelve aquí, cobarde! ¡O te despido! *¡¡¡Vaya que sí!!!*

TODO POR CULPA DE UNA BOTA

Pinky protestó en voz baja:

—¿Podemos salir ahora? No aguanto más. Primero el inspector, después Sally...

Salimos y Tea empezó a sacar fotos y a tomar apuntes.

De repente, sin embargo, vi dos luces amarillas en la oscuridad. ¿Eran de nuevo los ojos de un felino fantasma?

¡No, era el metro! Oí un **CHILLIDO**:

—¡Socorrooo! ¡Auxiliooo!

Vi cómo Trampita resbalaba desde el andén. Le agarré la pata para ayudarlo a subir, pero ¡me di cuenta con horror de que había metido la bota izquierda en una rejilla metálica!

—¡Socorrooo! —chilló mi primo.

Bajé del andén con cuidado de no tocar las vías.

Tiré y tiré aún más fuerte: ¡era inútil, la bota estaba atrapada!

—No lo conseguiré nunca.

¡Vete, Geronimo! ¡Sálvate tú al menos! —exclamó mi primo.

Yo no respondí, pero me apresuré a desatar los cordones que le llegaban hasta el tobillo.

Tenía doce ojales…

Uno, dos, tres, cuatro, cinco, seis, siete, ocho, nueve, diez, once...

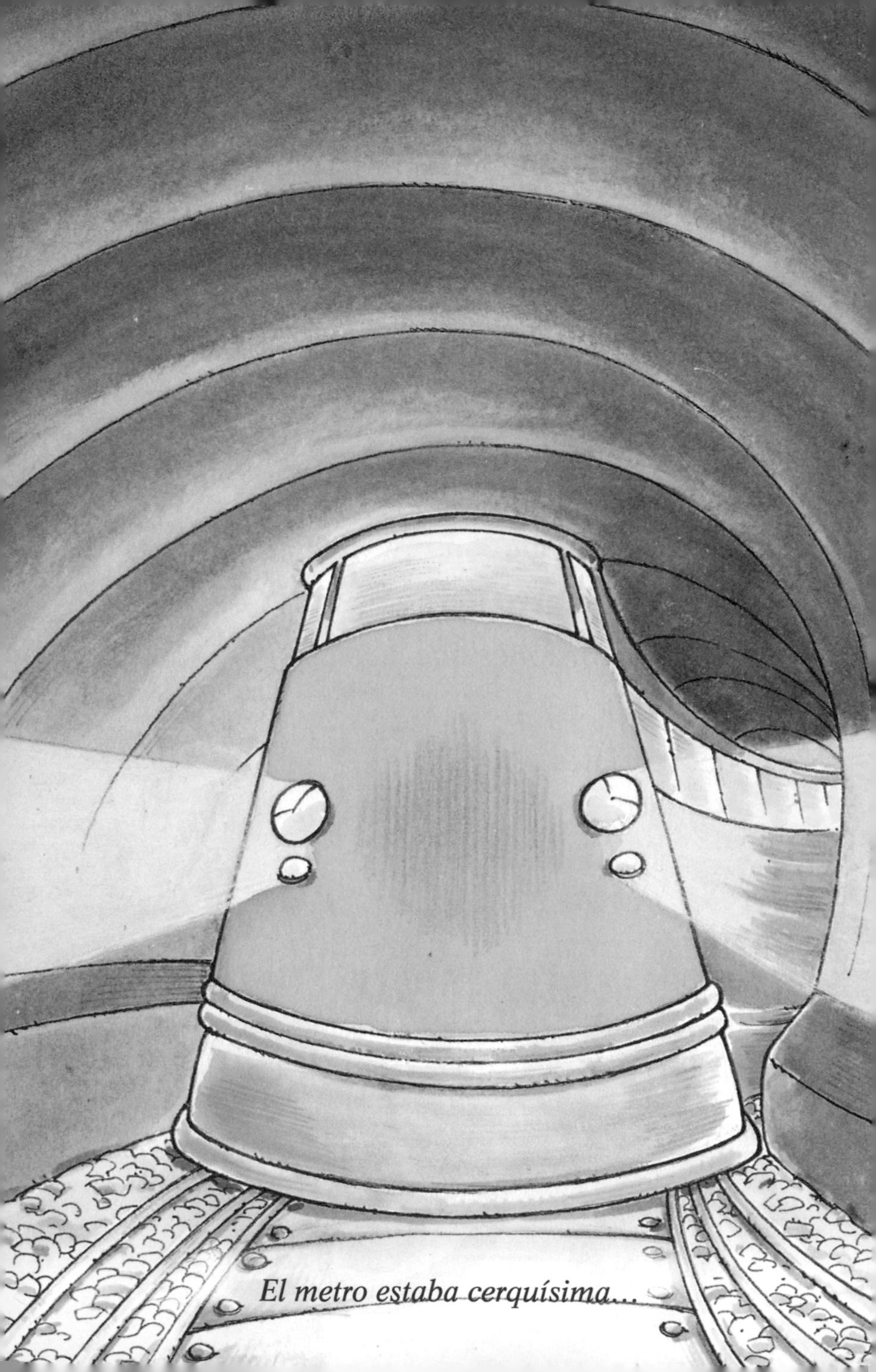

El metro estaba cerquísima...

El metro estaba cerquísima...

... ¡doce!

Con un tirón, Trampita sacó el pie de la bota y saltó sobre el andén, y yo con él. ¡Justo a tiempo!

Estábamos salvados.

El desplazamiento del aire nos lanzó hacia atrás y el metro levantó a su paso un polvo oscuro que nos hizo toser.

12 11 10 9 8 7 6 5 4 3 2 1

MENUDILLOS PARA GATOS

Corrimos al encuentro de Tea y Pinky.

Pinky exclamó, emocionada:

—**JEFE**, creía que ibais a convertiros en menudillos para **GATOS**...

No pude evitar estremecerme al oír aquella palabra. *¡Por mil quesos de bola!* ¿Por qué, por qué, por qué todo el mundo se empeñaba en repetirla?

Tea sacudió en el aire un carrete de película.

—Geronimo, justo a tiempo, ¿eh? Te he fotografiado mientras ibas a ser atropellado por el metro. ¡Qué encuadre! —A continuación, se regodeó—: ¡¡¡Seguro que gano el premio a la foto más espectacular del año!!! Ejem, a propósito, estoy muy contenta de que lo hayas conseguido, hermanito...

Yo sonreí. Conozco a mi hermana, y sé que me quiere, aunque siempre se haga la dura.

Trampita cojeó hasta mi lado, con una sola bota.

Abrió la boca y pensé que iba a decir algo... ¡Luego me abrazó y empezó a sollozar, sin decir una sola palabra!

Yo también permanecí en silencio, con los ojos húmedos, palmeándole la espalda suavemente.

Trampita murmuró:

—¿Me dejas que te ofrezca un helado de queso, primo, para celebrar que aún estamos vivos? ¿Qué me dices de un cucurucho de gruyere con una guinda en almíbar?

Todavía abrazados, nos dirigimos hacia el distribuidor automático de helados.

Mientras tanto, Tea refunfuñaba:

—No entiendo quién podía estar conduciendo el metro. ¡No me creo que fuese el fantasma, no-me-lo-creo! ¡*Tiene* que haber una explicación!

Mientras mi primo introducía las monedas en el distribuidor de los helados, me fijé en que algo brillaba en el suelo. Me incliné con curiosidad: era un antiguo anillo de plata con un sello que era el relieve de un queso. Lo observé bien a la luz de la linterna: tenía unas iniciales grabadas: **A.V.**

HUELLAS MISTERIOSAS

Al inclinarme para recoger el anillo me fijé en una extraña mancha que había en el suelo de cemento. La examiné con atención: ¡era una huella!

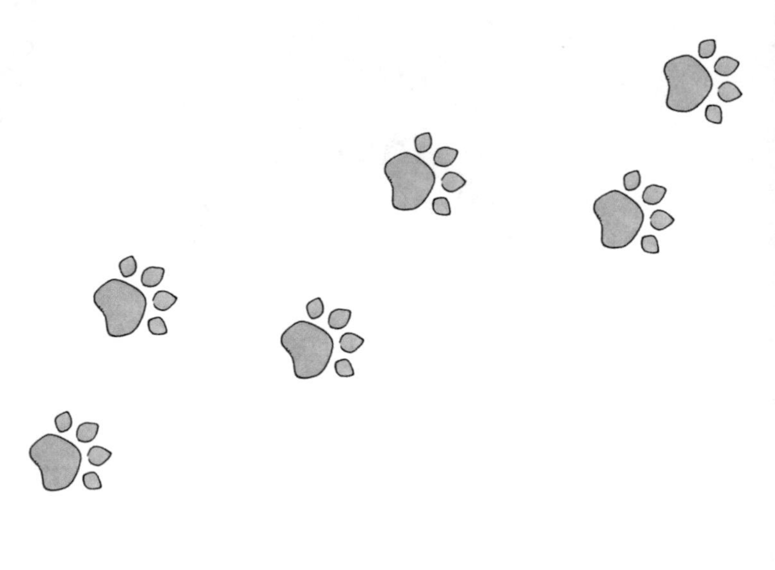

Llamé a los demás, emocionado:

—¡He encontrado unas huellas misteriosas!

Trampita corrió a examinarlas con los bigotes temblándole de curiosidad.

—¡Son huellas de **GAT**... ejem, de felino! —se corrigió, mirándome. Después me guiñó un ojo.

Tea, emocionada, las fotografió.

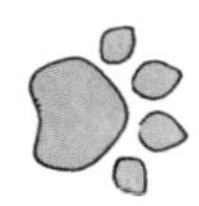

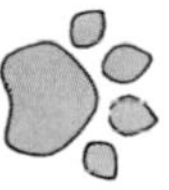

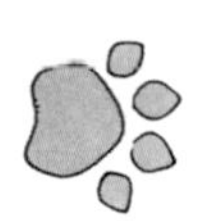

—¡Veamos hasta dónde nos llevan!

Las huellas partían de la estación de la Plaza de la Piedra que Canta y se dirigían al túnel de la línea 1.

La puerta misteriosa

Quién sabe cuántos secretos escondía el oscuro túnel de la línea 1. Quizá allí se escondía el felino fantasma... Me estremecí.
Seguimos las huellas por el estrecho andén que discurría junto a las vías. Nos introdujimos en el túnel.
Iluminando las huellas con las linternas proseguimos durante cinco minutos, hasta que Pinky exclamó:
—¡Mirad, las huellas acaban aquí, frente a esa pared, como si quien las ha dejado hubiera pasado a través del muro, exactamente como un fantasma!
Tea rebatió:
—¡Im-po-si-ble!

Examinamos bien la pared. ¡Nada!

Vi de reojo que Pinky estaba jugando con su YOYÓ.

De repente, sin embargo, el YOYÓ se le escapó de las patas y se fue rodando por el suelo. Para recogerlo, se inclinó y se apoyó en la pared. La oí gritar:

—¡Socorroooooo!

Me di la vuelta: Pinky había desaparecido. ¿Dónde se había metido? La llamamos, la buscamos, pero parecía que se hubiera esfumado, ¡¡¡justo como el felino fantasma!!!

Tea murmuró:

—Tiene que haber un pasadizo secreto. Examinemos bien la pared.

Con la linterna iluminó las piedras, una por una, y las fue golpeando con la pata hasta que encontró una que sonaba a hueco.

—¡Aquí está! Aquí detrás hay un pasadizo. ¡Vais a ver!

Apoyó la pata en la piedra y en un segundo, silenciosamente, toda la **enorme** pared giró sobre sí misma.

Os lo aseguro, no hizo el más mínimo ruido: ¡palabra de Stilton, de *Geronimo Stilton*!

Tea desapareció al otro lado del muro.

—¡Ahora nos toca a nosotros! —exclamó Trampita.

Yo tenía todo el pelaje erizado de miedo, pero no quería parecer un cobardica, así que lo seguí.

Apoyamos la pata en la pared… que giró de nuevo silenciosamente.

AL OTRO LADO DE LA PARED LA OSCURIDAD ERA TOTAL.

—Geronimo, ¿eres tú? —susurró mi hermana.

Encendí una linterna, que iluminó una larga escalera que bajaba. El aire olía a moho y las paredes estaban incrustadas de *salitre* (sustancia cristalina inflamable).

¡BRR! ¡QUÉ MIEDO! Bajamos con cautela los escalones consumidos por el tiempo, descendiendo cada vez más y más.

Finalmente llegamos al último escalón: frente a nosotros había una gigantesca puerta de madera de encina, con una enorme cerradura de la que sobresalía una gran llavc.

Sobre la puerta misteriosa alguien había grabado las iniciales **A.V.**

Tea intentó empujarla con la pata...

—¡Está abierta! El propietario debe de ser un tipo bastante distraído...

Tea se fijó en que era una puerta que se cerraba de golpe, así que sacó la llave de la cerradura.

—Humm, mejor llevarnos la llave,

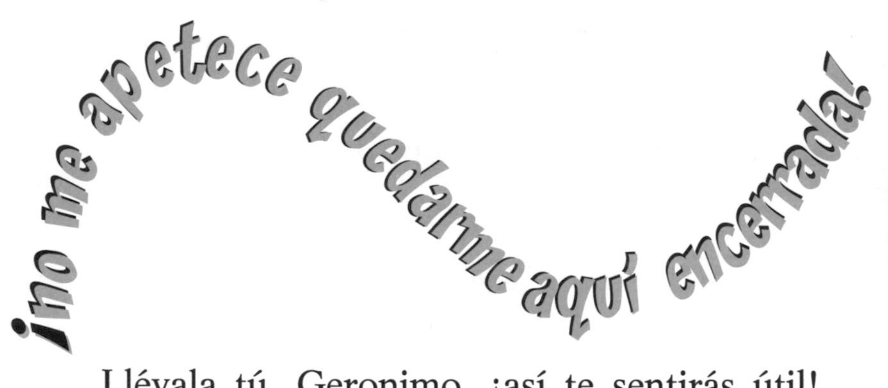

Llévala tú, Geronimo, ¡así te sentirás útil! ¡Yo debo tener las patas libres para sacar ráfagas de fotografías!

Suspirando, me até la gran llave a la cintura y seguí a los demás.

CONCENTRADO DE PIPÍ DE GATO

Más allá de la puerta se abría un inmenso salón. ¡Miramos alrededor y vimos que era un laboratorio!

El techo consistía en altísimas bóvedas de piedra sostenidas por antiguas columnas con capiteles de granito con forma de cabeza de ratón. Las bóvedas estaban decoradas con frescos que representaban episodios de *La Gran Guerra de los Gatos*...

Levanté el morro, admirando los frescos antiguos cuando, de repente, como un tonto, tropecé y me caí, dándome de narices en el suelo. Mi hermana Tea recogió el objeto con el que había tropezado. Era un bidón con una etiqueta que decía: «*Concentrado de pipí de gato*».

CONCENTRADO DE PIPÍ DE GATO

Tea sonrió bajo los bigotes:

—¡Nada de gato fantasma: de aquí venía el tufo! ¡Lo sabía: los fantasmas no existen!

Miró a su alrededor. Apretó un interruptor y se oyó un maullido terrible:

Luego señaló un contenedor de metal:

—¡Eso es un barniz fosforescente! ¡Lo usa el *fantasma* para crear efectos especiales en la oscuridad! Y mirad allí: ésas son las cadenas que arrastraba para asustarnos. Y cuántas cámaras de televisión, seguro que sirven para tener controlados los movimientos de los eventuales intrusos. ¡In-cre-í-ble!

Tea señaló un proyector:

—¡Con eso se proyectaba la sombra del **GATO** contra la pared!

Encendió el proyector y todos nosotros dimos un brinco hacia atrás. La **SOMBRA** de un felino gigante se materializó sobre la pared.

Y ESTA PALANCA... ¿PARA QUÉ SIRVE?

Aquí y allá, fuimos observando los detalles de aquel extraño laboratorio. Estaba admirando una colección de antiguos aparatos eléctricos del siglo diecinueve, cuando oí a mi primo exclamar:

—Y esta palanca... ¿para qué sirve?

Tea, Pinky y yo, gritamos a coro:

—**¡Quieto!**

Pero era demasiado tarde.

Trampita accionó la palanca.

De repente todos los objetos de metal del laboratorio se precipitaron hacia un enorme imán.

La gran llave de la puerta, que incautamente me había atado a la cintura, tiró de mí inexorablemente hacia el imán, al que quedé pegado por las posaderas.

—¡Socorrooo! ¡Bajadme de aquí! —grité. Pinky, veloz como un rayo, volvió la palanca a su lugar inicial.

De golpe, todos los objetos de metal se soltaron del imán y yo me precipité de morros contra el suelo de piedra.

—¡Ayayayyy! —gemí levantándome—. Podía haberme roto el morro, podía haberme roto un colmillo, podía... podía....

podía haberme roto una vértebra de la cola...

…al que quedé pegado por las posaderas…

AH, ES UNA LARGA HISTORIA...

En aquel instante oímos cómo se abría la puerta. Todos nos dimos la vuelta, asombrados.

La silueta de un felino se recortó a contraluz, amenazadora: ¡era un **gato** de al menos 6 metros, y (con la cola incluida) podía pesar hasta 18 toneladas!

La cabeza era alargada, el morro achatado, las orejas de punta, los largos bigotes vibraban como si oliese aroma de ratón.

Los ojos eran crueles, de color ámbar con matices dorados, con las pupilas dilatadas, típicos de un felino a punto de saltar sobre su presa.

Aquellos ojos, sin embargo, estaban fijos y era vidriosos... *¿por qué?* La espesa **PIEL** que lo recubría brillaba con extraños reflejos, como si fuese sintética... *¿por qué?*
En aquel instante se oyó un ruido metálico. Después, con el movimiento rígido típico de los autómatas, el felino se dirigió hacia nosotros.
¡¡¡De repente se alzó sobre las patas posteriores, se agarró la gran cabeza peluda, se la separó del cuello y se la puso bajo el brazo!!!
Del enorme **FELINO-ROBOT** salió un ratón, que saltó fuera y se dirigió tranquilamente hacia nosotros.
Se presentó:
—¡Soy el profesor Amperio Voltio!
Yo le tendí la pata.
—Ejem, mi nombre es Stilton, *¡Geronimo Stilton!*

Amperio Voltio

¡Profesor, le presento a mi hermana Tea, a mi primo Trampita y a mi ayudante Pinky Pick!

Él se iluminó.

—¿Stilton? ¿Geronimo Stilton? Pero ¡entonces usted es el autor de *La carrera más loca del mundo*!

Me estrechó la pata con entusiasmo.

—¡Es mi libro preferido! ¡Me he reído hasta las lágrimas leyéndolo! En mi trabajo tengo muy pocas ocasiones de divertirme. Leo su libro para poder reírme un poco. Por ejemplo, aquella espléndida historia de VAMPIROS.

Amperio continuó:

—Pero ahora, eminentes roedores, creo que tengo que darles una explicación. Yo soy INVENTOR...

Con un gesto solemne de la pata señaló un aparato de unos diez metros de largo:

—Por ejemplo, he aquí una máquina para hacer huevos pasados por agua. Bonita, ¿eh? Qué pena que sea así de aparatosa...

Pinky señaló un artefacto apoyado en una estantería:

—Y esto ¿qué es?

Amperio estaba contento de oír aquella pregunta:

—Ah, eso, en cambio, es una invención muy conseguida. Debo acordarme de patentarla, (ejem, soy tan despistado...). ¡Se trata de un...

Les haré una demostración. ¡Usted, jovencito, el de los bonitos bigotes, venga aquí! —le dijo a mi primo Trampita.

La máquina produjo una nube de vapor.

—¡Caramba! —exclamó mi primo, entusiasmado, al ver sus bigotes rizados a la perfección—. ¿Cuánto cuesta?

—Es un *prototipo*, es decir, un modelo que he construido yo. En cuanto sea producido en serie le regalaré uno —le prometió Amperio.

Yo dije:

—Profesor Voltio, nos excusamos por haber entrado en su laboratorio. ¡Sentimos haberle molestado mientras hacía sus experimentos! Palabra de Geronimo Stilton, creíamos que en el metro habitaba un felino *fantasma*...

Él se rió bajo los bigotes:

—¿También ustedes se lo han creído? Ah, es una LARGA historia. Permítanme contársela desde el principio...

Mi último invento es...

—Mi padre era el conde Oscilo Scopio Voltio. Mi familia era aristócrata, originaria del Valle de Emmental. Por nacimiento estaba destinado a una vida acomodada, en el antiguo castillo de la familia... —explicó Amperio—. Pero yo sentía el fuego de la ciencia en mi corazón. Así que partí y llegué a Ratinga, sede de la más prestigiosa Universidad de la Isla de los Ratones. ¡Allí conseguí licenciarme en **matemáticas, física, química, medicina, arquitectura, ingeniería, literatura, historia, arqueología y filosofía**! Era aún muy joven cuando, hace cincuenta años, proyecté el metro de Ratonia.

Conozco cada curva, cada ladrillo, cada traviesa de las vías... Pues bien, durante los trabajos hice un importante descubrimiento: bajo la ciudad corren muchos túneles antiguos, ¡que se remontan a los tiempos de *La Gran Guerra de los Gatos*!

El profesor prosiguió:

—Las galerías servían para comunicarse con el exterior incluso cuanto la ciudad era asediada. Ahora bien —continuó Amperio— durante los trabajos del metro descubrí un tramo de túnel perfectamente conservado, y decidí transformarlo en este laboratorio secreto. Es aquí, de hecho, donde he llevado a cabo todos mis experimentos sobre los CAMPOS MAGNÉTICOS. Nadie ha sospechado nunca mi existencia. Para salir, pasaba por la misma alcantarilla por la que han entrado ustedes.

Yo le dije:

—Perdone, profesor, pero ¿por qué ha construido su laboratorio secreto justo aquí, en el metro?

Amperio sonrió bajo los bigotes y nos explicó:

—Aquí abajo no hay fuentes electromagnéticas que puedan influir en mis experimentos. ¡Es un ambiente óptimo!

Luego me preguntó:

—¿Quiere saber qué he inventado? Se lo explico porque creo que usted *es un ratón de fiar*... ¡Me he dado cuenta leyendo sus libros! —Se rió—. Así pues, he construido muchos aparatos electromagnéticos, como ese enorme imán que atrae objetos metálicos hasta desde 300 metros de distancia... —diciendo eso señaló el aparato en el que yo había sido atrapado—... Pero mi último invento es el **Voltyx**, ¡que me permite levantar y desplazar *cualquier objeto*!

Voltio se soltó de la cintura un aparato que parecía un mando a distancia y lo apuntó hacia Trampita.

—¿Me permite, queridísimo?

Trampita se elevó del suelo como por arte de magia.

Voltyx

—¡Bájeme de aquí! —protestó mi primo.

Amperio lo depositó en el suelo delicadamente. Trampita exclamó:

—¡Quién sabe cuánto **DINERO** puede ganarse con una cosa así!

Amperio sacudió la cabeza.

—El domingo pasado alguien descubrió mi laboratorio y hurgó entre mis papeles. Esto, pobre de mí, me ha hecho reflexionar. ¿Qué sucedería si el **Voltyx** acabara en manos equivocadas? ¡Quizá el mundo aún no está listo para mi invento, que proporcionaría demasiado poder a quien lo poseyera!

Todos escuchábamos con interés, el silencio era turbado sólo por el ruido que emitía Trampita mientras trasegaba un bocadillo superrelleno, aderezado con salsa de cebolla.

El profesor concluyó:

—Por tanto he decidido abandonar este laboratorio, que ya no me garantiza el secreto que necesitan mis experimentos. El **Voltyx** es sólo el inicio, ¡estoy trabajando en un descubrimiento aún más importante! Durante los preparativos para mi partida, desde el lunes hasta ahora, para mantener alejados a los curiosos he utilizado este enorme **gato-robot**. Era yo quien conducía el metro, era yo quien encendía y apagaba las luces y atraía los objetos metálicos con mi imán..., también eran idea mía los maullidos grabados, las sombras proyectadas contra el muro, los ojos de barniz fosforescente, el concentrado de pipí de gato... ¡Incluso vosotros llegasteis a creéroslo! ¡Hoy, sin embargo, desapareceré de nuevo, en otro escondite secreto!

En aquel instante entraron Sally y Servilino Siervo. Ella se quedó bizca al verme.

—¡Stilton! ¿Qué haces tú aquí? *¡¡¡Vaya!!!*

¡PALABRA DE SALLY RATONEN!

El profesor Amperio Voltio dijo bruscamente:

—¡Buenos días, señora Ratonen! ¿Es la primera vez que entra en este laboratorio?

—¡Por supuesto! —exclamó con descaro Sally—. ¡Nunca antes lo había visto! *¡Vaya!* ¡Palabra de honor de Sally, de Sally Ratonen! *¡Vaya que sí!*

Amperio meneó un aparato.

—Este vídeo fue grabado el domingo pasado por la cámara conectada al antirrobo. Señora Ratonen, ¿cómo lo explica?

En la grabación se veía a Sally y a Siervo revolver entre los estantes.

Sally chilló:

Se ve perfectamente. ¡*Vaya*, todo esto es un complot! *¡Vaya que sí!*

Amperio meneó la cabeza.

—Hay demasiados ratones como usted, señora Ratonen, que harían cualquier cosa para enriquecerse. **¡Por eso quiero que mis experimentos permanezcan en secreto!**

Recogió una pequeña maleta y se dirigió hacia la puerta, despidiéndose con la pata. Yo le tendí el anillo de plata antiguo y murmuré:

—Esto es suyo, ¿verdad, *profesor*?

Él se lo puso en el meñique, emocionado.

—¡Gracias, Geronimo! Este anillo es de mi familia desde hace generaciones! Lo había perdido: ejem, soy tan distraído...

Sally lo agarró por la manga de la chaqueta:

—¡Véndame sus inventos! *¡Vaya que sí!* ¡Le daré lo que quiera!

Dinero, éxito, fama, poder...

El profesor Voltio se limitó a encogerse de hombros, sonriendo.

Sally **chilló**:

—Querido, esto no acaba aquí. *¡¡¡Vaya!!!* ¡Deja aquí tu invento, bonito, antes de que te lo arrebate con uñas y dientes!

Él se dio la vuelta: con el **Voltyx** la elevó en el aire, y la posó delicadamente sobre la lámpara.

Entonces dijo cortésmente:

—*¡Querida señora, desde las alturas tendrá una visión más clara de los problemas!*

Sonriendo bajo los bigotes, Amperio se dirigió hacia la salida.

Sally, que aún seguía colgada de la lámpara, aprovechó la distracción general para saltar sobre las cortinas y de ahí se lanzó sobre Amperio para arrebatarle el **Voltyx**.

Sally se lanzó sobre Amperio para arrebatarle el Voltyx...

—¡Quiero ese aparato a toda costa! *¡¡¡Vaya que sí!!!* ¡Tiene que ser mío, sólo mío! ¡Míooo! ¡Seré ricaaa, extra-ricaaa, y quizá (ya que estamos) dominaré el mundo!

Amperio, rapidísimo, lanzó algo en la habitación, que se llenó inmediatamente de una niebla amarillenta y apestosa.

Amperio aprovechó el humo para desaparecer. Lo oí exclamar mientras corría:

—Es un bote de humo al queso rancio concentrado absolutamente inocuo. ¡Un invento mío!
En medio del humo, a tientas, encontré la puerta del laboratorio. Salimos uno tras otro al túnel del metro.
Oí a Sally Ratonen gritarle enfurecida a su jefe de redacción:
—¡Servilino Siervo, toda la culpa es tuya! Eres el colmo de la estupidez…

¡De todos modos, tendremos una exclusiva!

Tras la partida de Amperio, el metro volvió a funcionar con regularidad.
Todo volvió a la normalidad.
Un mes después, recibí un paquete postal que, a juzgar por el matasellos y por la cantidad de sellos, parecía venir de muy lejos...

Para el Sr. Roedor
Geronimo Stilton
Director de El Eco del Roedor
Calle de Tortelini, 13
13131 Ratonia
(Isla de los Ratones)

La caja estaba llena de inventos de Amperio en homenaje a nosotros:

–El rizabigotes a vapor que tanto le gustaba a Trampita

–Un **YOYÓ** interactivo para Pinky…

–¡Una estilográfica con tinta amarilla, perfumada al queso, para Tea!

Para mí, en cambio, había un estuche cilíndrico que contenía folios enrollados recubiertos de signos técnicos.

Me fijé también en una carta sellada con lacre amarillo, el sello llevaba la impronta de un trozo de queso. La leí con curiosidad…

Querido Geronimo:
Le pido que publique en El Eco del Roedor *esta carta, en la que me excuso con los habitantes de Ratonia por haber causado tanto desbarajuste.*
Además le confío un proyecto para reestructurar el metro de Ratonia, ¡considérelo un homenaje a la ciudad para hacerme perdonar!
Sé que puedo contar con usted, querido Geronimo, ¡en seguida me di cuenta de que usted *es un auténtico gentilratón!*
Atentamente, Amperio Voltio

Yo sonreí bajo los bigotes, halagado.
Amperio tenía razón. En efecto, *¡yo soy un ratón de fiar!*
Llamé mi hermana.
—Tea, ¡de todos modos tendremos una exclusiva! ¡Prepara el título en primera plana!

¡¡¡Edición extraordinaria!!! Amperio Voltio, el genial profesor que hace cincuenta años proyectó el metro de Ratonia, ¡ofrece en homenaje a la ciudad un nuevo proyecto de renovación! ¡Todos los detalles y la carta autografiada del profesor Voltio en la página 4, en la CRÓNICA DE RATONIA!

La edición extraordinaria de *El Eco del Roedor* fue un éxito.

Recibí una llamada de **Rat-Films**: querían adquirir los derechos de la historia para rodar una película, ¡y ofrecían una cifra increíble!

Ni siquiera me había dado tiempo de colgar el auricular cuando Trampita entró en mi despacho:

—¡Conozco al primo del hermano de la tía del mayordomo del presidente de la **Rat-Films** y ya lo sé todo! ¡¡¡Todo!!! Entonces ¿qué?, ¿dividimos las ganancias? ¿Eh, primo, dividimos?

SOY UN AUTÉNTICO GENTILRATÓN

Pasaron otros seis meses. Recibí otra carta sellada con lacre amarillo...

Querido Geronimo:
Estoy a punto de finalizar un nuevo y extraordinario experimento: ¡un Viaje en el Tiempo! ¿Quiere acompañarme? Me gustaría que usted tomase nota de todo cuanto suceda (ejem, soy tan despistado...) y que después escribiese un libro sobre nuestra aventura...

El profesor me explicaba que volveríamos al tiempo de los faraones, y además...
Pero ¡ésa es otra historia, y la leeréis en otro libro!

A propósito, en la carta, el profesor Voltio me revelaba también el lugar del nuevo laboratorio secreto donde encontrarlo.

¿¿¿Qué???

¿¿¿Queréis saber dónde se encuentra el laboratorio??? Lo siento, lo siento mucho, pero le he prometido al profesor Voltio quc no lo revelaría.
Ya os lo he dicho, *soy un ratón de fiar*...

INDICE

PÁNICO EN EL METRO 7

UN GATO FANTASMA 12

¿QUÉ TIENE QUE VER EL GOLF EN TODO ESTO? 16

¿CÓMO TE VA, PRIMO? 19

INFORMACIÓN SECRETA 23

ERES UN TACAÑO, GERONIMO 25

¡CHOCA ESA PATA, SOCIA! 27

¿UN FELINO DE 18 TONELADAS? 30

¡CUATRO PIZZAS DE FONDUE! 32

QUIEN NO ARRIESGA NO GANA 36

GATO GATO GATO GATO... 42

TUFO A GATO 47

COMO UNA RATA DE ALCANTARILLA 54

LAS CADENAS DEL GATO FANTASMA 58

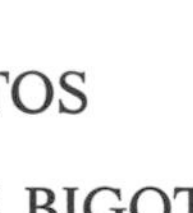

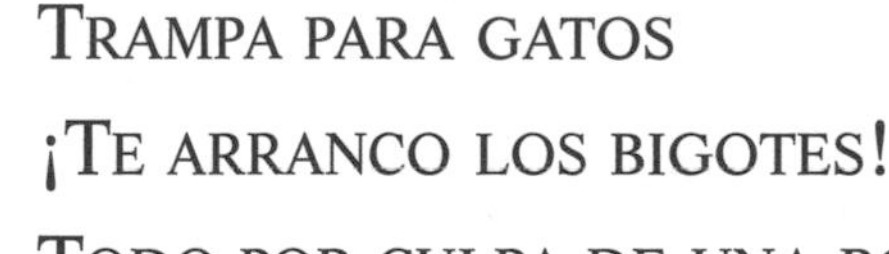
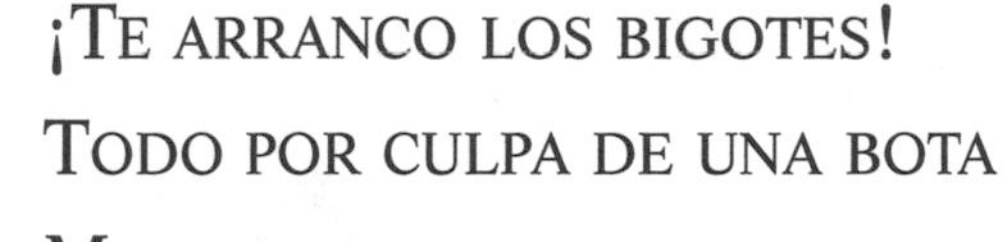

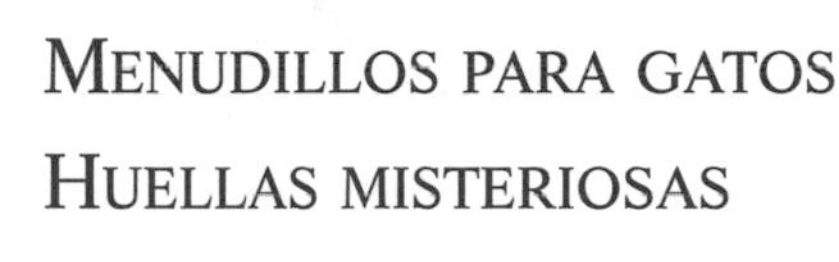

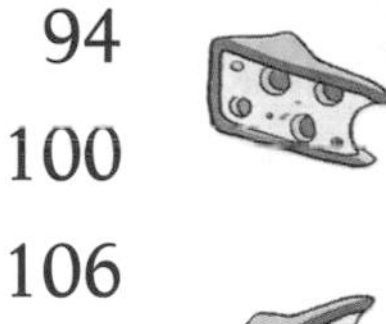

TRAMPA PARA GATOS 60

¡TE ARRANCO LOS BIGOTES! 67

TODO POR CULPA DE UNA BOTA 72

MENUDILLOS PARA GATOS 76

HUELLAS MISTERIOSAS 80

LA PUERTA MISTERIOSA 82

CONCENTRADO DE PIPÍ DE GATO 87

Y ESTA PALANCA... ¿PARA QUÉ SIRVE? 91

AH, ES UNA LARGA HISTORIA... 94

MI ÚLTIMO INVENTO ES... 100

¡PALABRA DE SALLY RATONEN! 106

¡DE TODOS MODOS, TENDREMOS UNA EXCLUSIVA! 112

SOY UN AUTÉNTICO GENTILRATÓN 116

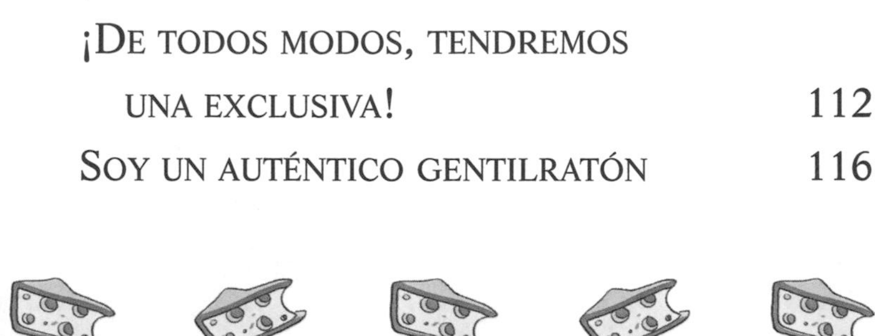

¡Llegan las aventuras de Geronimo Stilton
en cómic!
Queridos amigos roedores:
¡Os presento una nueva colección morrocotuda de cómics!
En ella os contaré mis aventuras superratónicas a través
del tiempo y viajaremos a épocas fascinantes de la historia.
¡Por mil quesos de bola! ¿Os lo vais a perder?
Geronimo Stilton
Geronimo Stilton
El descubrimiento de América
Planeta Junior
Planeta Junior

TEA STILTON

❑ 1. El código del dragón

❑ 2. La montaña parlante

❑ 3. La ciudad secreta

El Eco del Roedor

1. Entrada
2. Imprenta (aquí se imprimen los libros y los periódicos)
3. Administración
4. Redacción (aquí trabajan redactores, diseñadores gráficos, ilustradores)
5. Despacho de Geronimo Stilton
6. Helipuerto

1
2
3
4
8
18
9
13
12
19
11
10
17
Río Ratonio
15
28
22
5
20
26
7
23
27
14
16
25
21
24
36
40
38
37
29
Playa
31
41
32
34
33
6
30
42
43
39
35

Ratonia, la Ciudad de los Ratones

1. Zona industrial de Ratonia
2. Fábricas de queso
3. Aeropuerto
4. Radio y televisión
5. Mercado del Queso
6. Mercado del Pescado
7. Ayuntamiento
8. Castillo de Morrofinolis
9. Las siete colinas de Ratonia
10. Estación de Ferrocarril
11. Centro comercial
12. Cine
13. Gimnasio
14. Sala de conciertos
15. Plaza de la Piedra Cantarina
16. Teatro Fetuchini
17. Gran Hotel
18. Hospital
19. Jardín Botánico
20. Bazar de la Pulga Coja
21. Aparcamiento
22. Museo de Arte Moderno
23. Universidad y Biblioteca
24. «La Gaceta del Ratón»
25. «El Eco del Roedor»
26. Casa de Trampita
27. Barrio de la Moda
28. Restaurante El Queso de Oro
29. Centro de Protección del Mar y del Medio Ambiente
30. Capitanía
31. Estadio
32. Campo de golf
33. Piscina
34. Canchas de tenis
35. Parque de atracciones
36. Casa de Geronimo
37. Barrio de los anticuarios
38. Librería
39. Astilleros
40. Casa de Tea
41. Puerto
42. Faro
43. Estatua de la Libertad

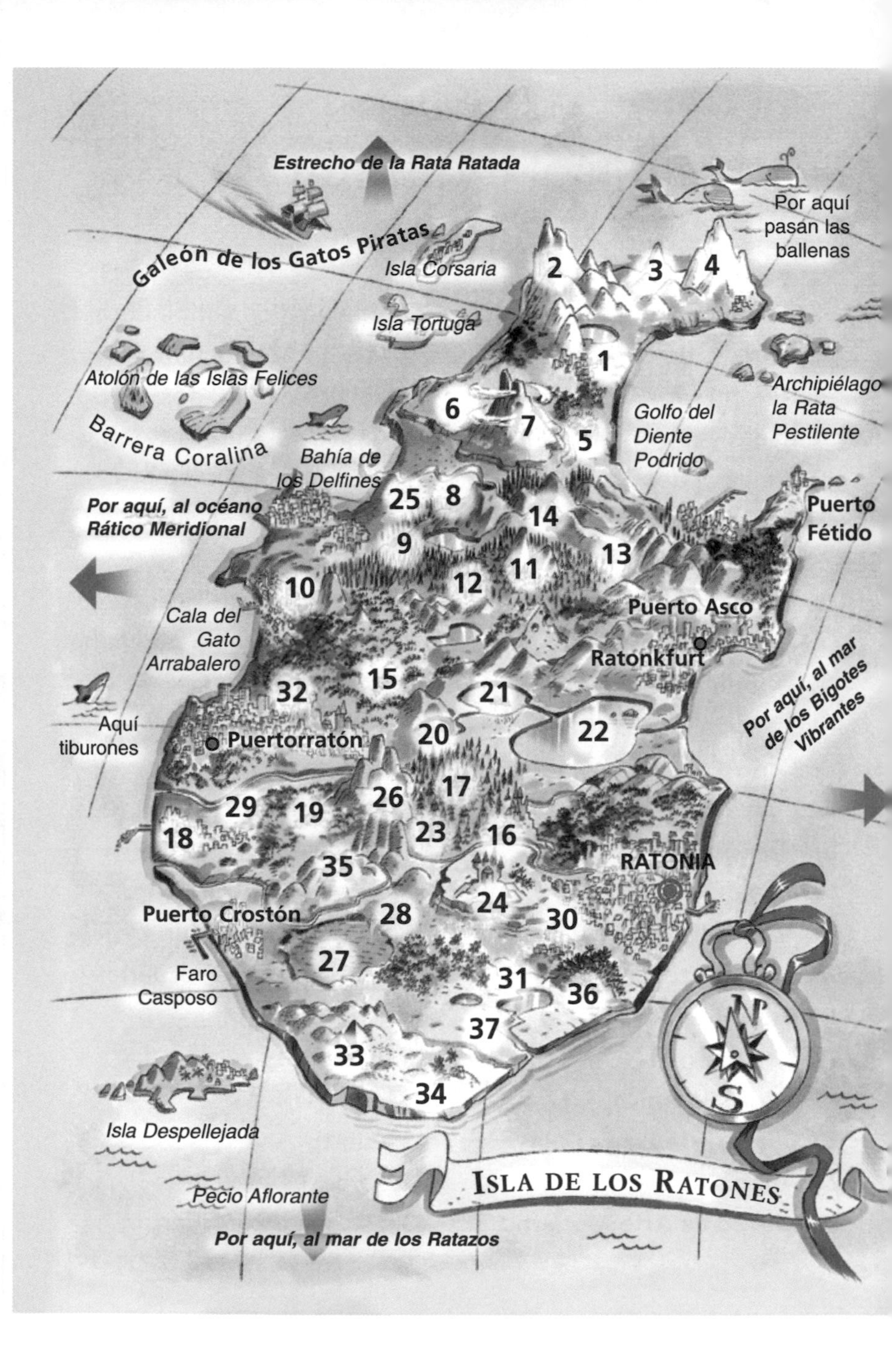

Estrecho de la Rata Ratada
Por aquí pasan las ballenas
Galeón de los Gatos Piratas
Isla Corsaria
Isla Tortuga
Atolón de las Islas Felices
Barrera Coralina
Bahía de los Delfines
Golfo del Diente Podrido
Archipiélago la Rata Pestilente
Por aquí, al océano Rático Meridional
Puerto Fétido
Puerto Asco
Ratonkfurt
Cala del Gato Arrabalero
Aquí tiburones
Puertorratón
Por aquí, al mar de los Bigotes Vibrantes
RATONIA
Puerto Crostón
Faro Casposo
Isla Despellejada
Pecio Aflorante
Por aquí, al mar de los Ratazos
ISLA DE LOS RATONES
N
S
1
2
3
4
5
6
7
8
9
10
11
12
13
14
15
16
17
18
19
20
21
22
23
24
25
26
27
28
29
30
31
32
33
34
35
36
37

La Isla de los Ratones

1. Gran Lago Helado
2. Pico del Pelaje Helado
3. Pico Vayapedazodeglaciar
4. Pico Quetepelasdefrío
5. Ratikistán
6. Transratonia
7. Pico Vampiro
8. Volcán Ratífero
9. Lago Sulfuroso
10. Paso del Gatocansado
11. Pico Apestoso
12. Bosque Oscuro
13. Valle de los Vampiros Vanidosos
14. Pico Escalofrioso
15. Paso de la Línea de Sombra
16. Roca Tacaña
17. Parque Nacional para la Defensa de la Naturaleza
18. Las Ratoneras Marinas
19. Bosque de los Fósiles
20. Lago Lago
21. Lago Lagolago
22. Lago Lagolagolago
23. Roca Tapioca
24. Castillo Miaumiau
25. Valle de las Secuoyas Gigantes
26. Fuente Fundida
27. Ciénagas sulfurosas
28. Géiser
29. Valle de los Ratones
30. Valle de las Ratas
31. Pantano de los Mosquitos
32. Roca Cabrales
33. Desierto del Ráthara
34. Oasis del Camello Baboso
35. Cumbre Cumbrosa
36. Jungla Negra
37. Río Mosquito

Queridos amigos roedores,
hasta el próximo libro.
Otro libro morrocotudo
palabra de Stilton, de...

Geronimo Stilton